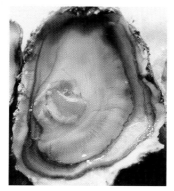

Huîtres

Huîtres

JACQUES LE DIVELLEC

Avec la collaboration de MARTINE WILLEMIN

Photographies NICOLAS LESER

Pour composer un plateau comptez 6, 9 ou 12 huîtres par personne (creuses ou plates, ou les deux). Présentez-les sur un lit de varech plutôt que sur de la glace pilée.

Servez en accompagnement du beurre doux ou demi-sel bien frais et du pain de campagne ou de seigle. Prévoyez des citrons, du vinaigre à l'échalote, du poivre du moulin (noir ou blanc) et les fourchettes à huîtres.

Vous pouvez agrémenter votre plateau d'autres coquillages crus (palourdes, par exemple) et cuits (bigorneaux, bulots), et de crustacés cuits (crevettes grises, bouquets, tourteaux, étrilles, langoustines). Dans ce cas, prévoyez de la mayonnaise et les ustensiles nécessaires (piques à bigorneaux, curettes et fourchettes à crustacés).

Pensez aussi aux rince-doigts. Dégustez avec du Muscadet ou du Gros-plant.

SOLAR

Si vous souhaitez recevoir notre catalogue
et être tenu au courant de nos publications,
envoyez-nous vos nom et adresse, en citant
ce livre et en précisant les domaines
qui vous intéressent.

Éditions SOLAR
12, avenue d'Italie
75013 PARIS

Internet : www.solar.tm.fr

L'auteur remercie :
Olivier Friant, chef sommelier du restaurant « Le Divellec », Paris.
Le comité national de la Conchyliculture.
Bernard Gonthier, président de la Fédération nationale des écaillers.

Le photographe et la styliste remercient les boutiques suivantes
pour la fourniture de vaisselle et accessoires :
Palais Royal 13, rue des Quatre-vents 75006 Paris
Quartz 12, rue des Quatre-vents 75006 Paris
Ulrike Weiss Editions 12, passage des Taillandiers 75011 Paris

David Hervé pour la fourniture des huîtres
4, impasse des Oiseaux
17390 La Tremblade

Direction : Dominique Raynal

Responsable éditoriale : Véronique Chanson

Secrétariat d'édition : Delphine Depras, Bénédicte Baussan

Mise en pages : Chantal Guézet, Encre Blanche

Stylisme : Ulrike Skadow

ISBN : 2-263-03631-8

Code éditeur : S03631

Imprimé en France par Mame

Sommaire

Introduction

L'élevage des huîtres sur les côtes françaises commence à l'époque romaine. Il s'agissait alors d'huîtres plates. À partir de la fin du XIXᵉ siècle, l'élevage des huîtres creuses, dites « portugaises », se développe largement. Aujourd'hui, les huîtres plates, de l'espèce *Ostrea edulis*, élevées seulement en Bretagne, sont moins abondantes et donc d'un prix élevé. Toutes les huîtres creuses produites en France proviennent d'une même espèce, *Crassostrea gigas*. Mais climat, plancton, courants et marées, salinité des eaux, alluvions des estuaires, configuration des îles sont autant de facteurs qui influent sur les qualités gustatives d'une huître. Surtout, comme pour le vin, les dernières étapes de l'élevage sont décisives pour le caractère de chaque « terroir ». Il arrive d'ailleurs que les huîtres soient transportées d'un secteur à un autre afin d'optimiser leur croissance, puis leur affinage. Du captage des larves, qui permet d'obtenir le naissain, jusqu'à l'affinage en passant par l'élevage en parc, une huître arrive à maturité après 3 ou 4 ans. Du nord au sud du littoral français, on distingue six bassins de production.

NORMANDIE

De chaque côté du Cotentin, les ostréiculteurs bénéficient de la grande amplitude des marées et de la faible pente de l'estran. Il existe quatre sites de production : côte Ouest, Saint-Vaast-la-Hougue, Isigny et côte de Nacre. Les huîtres sont commercialisées sous la marque collective « huître de Normandie ».

BRETAGNE

À la grande variété des côtes et des fonds marins correspond la diversité des productions. Les ostréiculteurs bretons distinguent douze grands crus, qui vont de la Cancale à la Croisicaise, commercialisés sous la marque collective « huître de Bretagne », sans oublier la Belon.

PAYS DE LA LOIRE

La présence d'anciens marais salants, les « claires » (sur l'île de Noirmoutier et en baie de Bourgneuf, notamment) permet la pratique de l'affinage. Les huîtres « fines de claire » et « spéciales de claire » sont commercialisées sous la marque collective « huître Vendée Atlantique ».

POITOU-CHARENTES

Le bassin de Marennes-Oléron est depuis toujours réputé pour l'affinage des huîtres. Celles-ci séjournent dans d'anciens marais salants où elles se trouvent en contact avec une bactérie, la navicule bleue, qui leur donne leur couleur verte caractéristique.

Les « huîtres Marennes-Oléron » se classent ainsi : « fine de claire », « spéciale de claire », « fine de claire verte label rouge », « spéciale pousse en claire label rouge ». Un peu plus au nord, face à la côte charentaise, les huîtres sont commercialisées sous la marque collective « huître des îles » (Ré, Aix, Madame et Oléron).

ARCACHON/AQUITAINE

Dans le bassin d'Arcachon, la tradition ostréicole se perpétue contre vents et marées. Le bassin est également un centre important de captage du naissain et fournit les autres régions ostréicoles.

MÉDITERRANÉE

La faible amplitude des marées en Méditerranée implique que l'élevage des huîtres s'y pratique sur des cordes suspendues sous l'eau. C'est le cas des huîtres de Bouzigues, élevées dans la lagune de Thau. Un élevage similaire s'effectue dans d'autres lagunes et sur la côte est de la Corse. Des huîtres sont aussi élevées en pleine mer.

———————

On peut déguster tout au long de l'année la riche gamme de saveurs des huîtres de France. Il n'est nullement justifié de ne consommer des huîtres que durant les mois en r. En été, cependant, et en fonction des conditions climatiques, les huîtres sont porteuses de laitance.

Sauf mention contraire, les huîtres utilisées dans les recettes de cet ouvrage sont creuses. Leur préparation associe souvent à une production ostréicole locale d'autres produits régionaux, mais la majorité des huîtres sont interchangeables. Toutes les préparations constituent des entrées, mais elles peuvent aussi être servies en plat principal d'un dîner léger.

———————

AVERTISSEMENT

Les Français sont les premiers consommateurs d'huîtres, à l'état frais, dans le monde. Ils bénéficient du savoir-faire des ostréiculteurs qui œuvrent au long du littoral dans des eaux soumises aux contrôles permanents de l'Institut français de recherche pour l'exploitation de la mer (Ifremer). Les huîtres se nourrissent exclusivement de la mer (de plancton notamment), ce qui leur confère des qualités diététiques remarquables. Lorsque la mer se retire, elles se ferment hermétiquement en emmagasinant de l'eau, c'est pourquoi elles se conservent plusieurs jours au frais. Les huîtres creuses doivent toujours être vendues dans leur panier d'origine, rectangulaire, les plates dans leur bourriche, ronde. La fraîcheur d'une huître est facile à vérifier : elle est bien fermée et, à l'ouverture, son manteau se rétracte sous l'action de la pointe d'un couteau ou d'une goutte de citron. Il ne reste plus qu'à la déguster crue, ou bien à l'accommoder selon une des recettes proposées dans ce livre.

AU MOMENT DE L'ACHAT

Calibrées d'après leur poids, les huîtres creuses sont numérotées de 0 à 5, de la plus grosse à la plus petite. La classification générale distingue les creuses, longues, fines, spéciales, fines de claire et spéciales de claire.

Les huîtres plates sont numérotées de 000 à 6, de la plus grosse à la plus petite.

POUR OUVRIR UNE HUÎTRE CREUSE

1 Si vous êtes droitier, tenez fermement l'huître dans la main gauche, face plate au-dessus, dans un torchon plié en quatre. Prenez un couteau solide et pointu ou, mieux, la « lancette » des écaillers dans l'autre main, placez le pouce à 1 cm de la pointe de la lame et enfoncez progressivement cette pointe entre les deux coquilles, aux deux tiers de l'huître à partir de la charnière.

2 Glissez la lame afin de sectionner le muscle qui maintient l'huître fermée.

3 Soulevez la coquille supérieure et retirez-la. Jetez la première eau, car une eau plus savoureuse se reforme aussitôt.

POUR OUVRIR UNE HUÎTRE PLATE

1 Si vous êtes droitier, tenez fermement l'huître dans la main gauche, face plate au-dessus, dans un torchon plié en quatre. Prenez un couteau solide et pointu ou, mieux, la « lancette » des écaillers dans l'autre main, et introduisez le côté tranchant de la lame à la charnière de l'huître.

2 Tout en exerçant une pression sur le côté non tranchant de la lame avec les doigts de la main gauche, effectuez avec la main droite un mouvement de rotation du couteau de façon à forcer la charnière et sectionnez le muscle. En cas de résistance, il peut être nécessaire d'enfoncer le couteau par la pointe. Soulevez la coquille supérieure et retirez-la.

Certaines recettes présentées ici proposent d'autres procédés d'ouverture des huîtres, à la chaleur : au four, à la vapeur et au barbecue.

Certaines recettes ne nécessitent pas de sel. N'en ajoutez pas systématiquement si cela n'est pas indiqué.

Fumet de moules

Un fumet est un court-bouillon concentré.
Il est généralement confectionné avec
des parures de poisson (têtes et arêtes),
mais on utilise aussi des fruits de mer. Le fumet
de moules fait ressortir le goût des huîtres.

POUR 50 CL DE FUMET

**1 kg de moules
de bouchot**

**1/4 de gousse d'ail
finement hachée
(sans le germe)**

**1 échalote
finement hachée**

**2 branches
d'estragon ciselées**

20 g de beurre

40 cl de vin blanc sec

Poivre du moulin

1 Grattez les moules si nécessaire. Rincez-les abondamment
à l'eau fraîche, puis égouttez-les.

2 Faites fondre le beurre dans une grande casserole et faites-y
revenir l'échalote et l'ail environ 3 minutes, jusqu'à ce qu'ils
soient transparents. Versez le vin blanc, ajoutez l'estragon
et poivrez. Faites cuire à feu doux 5 minutes. Versez les moules
dans la casserole, faites-les ouvrir à feu vif à couvert en remuant
une ou deux fois. Retirez la casserole du feu dès qu'elles sont
ouvertes. Sortez-les à l'aide d'une écumoire et égouttez-les dans
une passoire en recueillant leur jus dans un saladier. Passez
au chinois ce jus et celui resté dans la casserole en pressant
légèrement le mélange à l'aide d'une cuillère.

3 Laissez refroidir complètement le fumet de moules
ainsi obtenu avant de l'utiliser pour une recette.

Le fumet se conserve quelques jours au réfrigérateur.
Vous pouvez aussi le congeler dans de petits récipients
pour plusieurs utilisations ultérieures. Servez éventuellement
les moules utilisées assaisonnées d'une vinaigrette. Dans ce cas,
pour chaque moule, retirez la partie de la coquille qui ne contient
pas la chair.

À défaut vous pouvez utiliser un fumet de poisson déshydraté
du commerce mais vous n'obtiendrez pas un liquide aussi
parfumé. Dans ce cas, utilisez très peu de sel pour la recette.

Normandie

Marmite d'huîtres aux petits lardons et aux légumes

Pour cette recette, choisissez de préférence des huîtres d'Isigny, élevées dans la baie des Veys, à la charnière du Cotentin et du Bessin. Charnues et peu salées, elles se marient parfaitement au beurre et à la crème d'Isigny, qui bénéficient de la richesse des herbages et de la douceur du climat.

1 Ouvrez les huîtres (voir p. 8), jetez la première eau et recueillez dans un saladier celle qui se reforme aussitôt. Décoquillez-les en sectionnant le muscle. Filtrez l'eau rendue à l'aide d'une passoire fine. Réservez-la, ainsi que les huîtres décoquillées.

2 Faites fondre 30 g de beurre dans une casserole et faites-y revenir les dés de lardons à feu doux 5 ou 6 minutes, jusqu'à ce qu'ils soient bien dorés. Ajoutez l'échalote et l'ail et faites-les revenir environ 3 minutes jusqu'à ce qu'ils soient transparents. Versez le fumet de moules et l'eau des huîtres, et portez à petits frémissements. Ajoutez les légumes les uns après les autres en fonction de leur temps de cuisson : 10 minutes pour les carottes et les pommes de terre, et 5 minutes pour les courgettes.

3 Sortez les légumes à l'aide d'une écumoire et réservez-les. Passez le bouillon de cuisson au chinois, reversez-le dans la casserole, portez-le à ébullition et faites-le réduire à petits bouillons jusqu'à évaporation d'un quart du liquide (après environ 5 minutes). Incorporez la crème et le jus de citron, et poursuivez la cuisson 5 ou 6 minutes. Poivrez et incorporez 50 g de beurre par petits morceaux. Versez les légumes et les huîtres décoquillées. Faites cuire à petits frémissements pendant 2 minutes. Goûtez et rectifiez l'assaisonnement.

4 Répartissez la préparation, en comptant 6 huîtres par personne, dans quatre assiettes creuses bien chaudes, décorez de pluches de cerfeuil et servez aussitôt.

🍷 *Saumur blanc ou Saumur-Champigny*

POUR 4 PERSONNES

2 douzaines d'huîtres de Normandie (n° 2)

50 cl de fumet de moules (voir p. 9)

100 g de petits lardons fumés coupés en dés

2 ou 3 carottes coupées en bâtonnets

2 petites courgettes coupées en bâtonnets

4 pommes de terre coupées en bâtonnets

Jus de 1/2 citron

1 échalote finement hachée

1 gousse d'ail finement hachée (sans le germe)

4 cuill. à café de pluches de cerfeuil

80 g de beurre

10 cl de crème fraîche

Sel et poivre du moulin

Cassolettes d'huîtres au cidre du pays d'Auge

Il existe deux cidres d'appellation d'origine contrôlée, originaires l'un du pays d'Auge et l'autre de Cornouaille, ainsi que de nombreux cidres label rouge, non liés à un lieu spécifique. Non pasteurisés, ils sont élaborés avec des variétés de pommes à cidre sélectionnées.

POUR 4 PERSONNES

16 huîtres de Normandie (n° 2)

1 pomme reinette coupée en petits dés

1 échalote finement hachée

50 g de beurre

10 cl de crème fraîche

50 cl de cidre brut du pays d'Auge

Sel et poivre du moulin

1 Ouvrez les huîtres (voir p. 8), jetez la première eau et recueillez dans un saladier celle qui se reforme aussitôt. Décoquillez-les en sectionnant le muscle. Filtrez l'eau rendue à l'aide d'une passoire fine. Réservez-la, ainsi que les huîtres décoquillées.

2 Faites fondre 25 g de beurre dans une sauteuse et faites-y revenir les dés de pomme et l'échalote, sans qu'ils se colorent. Versez le cidre et l'eau des huîtres. Portez à ébullition et faites réduire à petits bouillons jusqu'à évaporation de la moitié du liquide (après environ 15 minutes).

3 Ajoutez la crème et poursuivez la cuisson 5 ou 6 minutes. Baissez le feu, incorporez 25 g de beurre par petits morceaux, puis les huîtres décoquillées, et faites cuire à feu doux 1 ou 2 minutes. Goûtez et rectifiez l'assaisonnement.

4 Répartissez la préparation, en comptant 4 huîtres par personne, dans quatre assiettes creuses bien chaudes et servez aussitôt.

🍷 *Cidre brut du pays d'Auge*

Poêlée d'huîtres flambées au calvados

Le calvados est l'eau-de-vie obtenue par distillation du cidre. Au cours du flambage, l'alcool du calvados se consume et seul subsiste son arôme. Celui-ci relève le goût des huîtres et parfume les lamelles de pomme grillées.

POUR 4 PERSONNES

2 douzaines d'huîtres de Normandie (n° 2)

1 tête de brocoli

1 petite carotte coupée en bâtonnets

100 g de champignons de Paris coupés en dés

1 poignée de petits pois (frais ou surgelés)

1 poivron rouge coupé en dés

1 pomme de terre épluchée et coupée en bâtonnets

1 pomme épluchée et coupée en lamelles

1 échalote finement hachée

1 gousse d'ail finement hachée (sans le germe)

1/2 bouquet de ciboulette ciselée

80 g de beurre

3 cl de calvados

Sel et poivre du moulin

1 Ouvrez les huîtres (voir p. 8), jetez la première eau et recueillez dans un saladier celle qui se reforme aussitôt. Décoquillez-les en sectionnant le muscle. Filtrez l'eau rendue à l'aide d'une passoire fine. Réservez-la, ainsi que les huîtres décoquillées.

2 Remplissez d'eau une grande casserole, salez-la et portez-la à ébullition. Plongez-y les légumes, à l'exception des champignons, et faites-les blanchir quelques minutes. Rincez-les à l'eau froide et égouttez-les.

3 Préchauffez le gril du four. Versez l'eau des huîtres dans une sauteuse, ajoutez l'échalote et l'ail. Portez à ébullition et faites réduire à petits bouillons jusqu'à évaporation d'une moitié du liquide (après environ 5 minutes). Incorporez 50 g de beurre par petits morceaux, puis les dés de champignons, et faites-les revenir 2 ou 3 minutes. Ajoutez les légumes et poursuivez la cuisson 5 minutes, tout en remuant. Ajoutez les huîtres et mélangez délicatement. Versez le calvados, flambez avec une allumette et remuez. Goûtez et rectifiez l'assaisonnement.

4 Étalez 30 g de beurre sur la plaque du four. Déposez les lamelles de pommes, enfournez et faites-les griller en les retournant à mi-cuisson. Salez-les légèrement.

5 Répartissez les huîtres flambées, en comptant 6 huîtres par personne, dans quatre assiettes creuses bien chaudes. Décorez avec les lamelles de pomme grillées et la ciboulette ciselée, et servez aussitôt.

🍷 *Cidre doux de Normandie*

Œufs brouillés aux huîtres

Pour réussir des œufs brouillés, faites-les cuire dans un bain-marie frémissant. Le temps de cuisson est un peu plus long qu'avec un récipient au contact direct du feu.

POUR 4 PERSONNES

2 douzaines d'huîtres de Normandie (n° 2)

8 œufs

80 g de beurre

10 cl de crème fraîche

Sel et poivre du moulin

1 Ouvrez les huîtres (voir p. 8), jetez la première eau et recueillez dans un saladier celle qui se reforme aussitôt. Décoquillez-les en sectionnant le muscle. Hachez-en grossièrement la moitié à l'aide d'un couteau bien aiguisé et réservez l'autre moitié. Filtrez l'eau rendue dans le saladier à l'aide d'une passoire fine.

2 Versez l'eau des huîtres dans une casserole, portez-la à ébullition et faites-la réduire à petits bouillons jusqu'à évaporation d'une moitié du liquide (après environ 2 minutes). Ajoutez les huîtres entières dans cette eau réduite, et faites-les pocher 1 minute.

3 Remplissez d'eau une casserole de taille moyenne et chauffez-la jusqu'à ce que l'eau frémisse. Sortez les huîtres pochées à l'aide d'une écumoire, placez-les dans une assiette et réservez leur eau de cuisson. Posez l'assiette sur la casserole d'eau frémissante, pour que les huîtres restent chaudes.

4 Préparez un bain-marie : remplissez d'eau une grande casserole et portez-la à ébullition. Cassez les œufs dans un grand saladier, salez, poivrez et fouettez énergiquement à l'aide d'une fourchette. Placez le saladier contenant les œufs battus dans le bain-marie frémissant, ajoutez l'eau de cuisson des huîtres et laissez cuire 10 à 15 minutes à feu doux tout en remuant délicatement, jusqu'à obtenir un mélange crémeux et homogène.

5 Hors du bain-marie, versez les huîtres hachées sur les œufs, ajoutez la crème fraîche et remuez délicatement. Répartissez les œufs brouillés aux huîtres dans quatre assiettes bien chaudes, décorez avec les huîtres entières, en comptant 3 huîtres par personne, et servez aussitôt.

Mareuil blanc

Huîtres aux herbes en papillote

Comme tous les produits de la mer à la chair délicate, les huîtres se prêtent fort bien à la cuisson en papillote. Les légumes préparés en julienne, coupés en très fins bâtonnets, et les herbes aromatiques forment un lit moelleux qui s'imprègne du jus des huîtres.

1 Ouvrez les huîtres (voir p. 8) et décoquillez-les en sectionnant le muscle. Réservez-les.

2 Préchauffez le four à 160 °C (th. 5-6). Remplissez d'eau une grande casserole, salez-la et portez-la à ébullition. Plongez-y les légumes et faites-les blanchir quelques minutes. Rincez-les à l'eau froide et égouttez-les. Versez-les dans un saladier, ajoutez les huîtres décoquillées et les herbes aromatiques. Mélangez le tout délicatement. Goûtez et rectifiez l'assaisonnement.

3 Découpez quatre carrés dans une feuille de papier sulfurisé. Étalez 30 g de beurre sur chaque carré pour que le contenu n'attache pas durant la cuisson. Répartissez le mélange d'huîtres et de légumes, et ajoutez un peu de pulpe de citron et 10 g de beurre sur chaque carré. Poivrez légèrement. Fermez les papillotes de façon hermétique en veillant au pliage pour soigner la présentation et déposez-les dans un plat allant au four, en les espaçant. Enfournez et faites cuire 6 minutes.

4 Ouvrez les papillotes et placez-les sur quatre assiettes bien chaudes.

🍷 *Saint-Nicolas-de-Bourgueil*

POUR 4 PERSONNES

2 douzaines d'huîtres de Normandie (n° 2)

2 carottes coupées en julienne

100 g de céleri-rave coupés en julienne

2 blancs de poireau coupés en julienne

Pulpe de 1 citron (sans le jus)

1 assortiment d'herbes aromatiques fraîches finement ciselées : aneth, cerfeuil, ciboulette, estragon, persil plat (dosées selon votre goût)

160 g de beurre

Sel et poivre du moulin

Bretagne

Belons à la vapeur de varech

POUR 4 PERSONNES

2 douzaines d'huîtres plates de Bretagne (belon, n° o)

4 grosses poignées de varech très frais (chez le poissonnier)

Jus de 1/2 citron

Beurre demi-sel

8 cuill. à soupe de crème fraîche

Pain grillé

Poivre du moulin

Jadis, en Bretagne, il n'existait qu'une seule variété d'huître : la plate (de forme ronde). La célèbre belon tire son nom du fleuve côtier situé près de Pont-Aven, au sud de la Cornouaille. Sa rareté explique son prix élevé.

1 Versez de l'eau à mi-hauteur dans la partie inférieure d'un cuit-vapeur et portez-la à ébullition. Plongez-y une petite poignée de varech et étalez le reste dans le fond du compartiment perforé du cuit-vapeur, sur une épaisseur minimale de 3 cm. Disposez les huîtres sur le lit de varech et laissez à couvert environ 15 minutes jusqu'à ce que les coquilles s'entrouvrent.

2 Retirez les huîtres du cuit-vapeur, sectionnez le muscle et retirez le couvercle de chaque coquillage. Ajoutez sur chaque huître 1 demi-cuillerée à café de crème et un filet de jus de citron, et poivrez. Servez aussitôt avec des tranches de pain grillé et du beurre demi-sel.

🍷 *Cidre brut de Cornouaille*

Plates de Prat-Ar-Coum tiédies au muscadet

POUR 4 PERSONNES

2 douzaines d'huîtres plates de Prat-Ar-Coum (n° o)

Jus de 1/2 citron

2 échalotes finement hachées

1/2 bouquet de ciboulette ciselée

180 g de beurre

50 cl de muscadet de Sèvre-et-Maine sur lie

Poivre du moulin

Prat-Ar-Coum est situé au bord de l'aber Benoît, à la pointe nord-ouest de la Bretagne. Les abers, bras de mer qui pénètrent dans les terres du Léon, forment des abris propices à l'élevage des huîtres, qui s'y nourrissent d'un mélange d'eau douce et d'eau de mer.

1 Ouvrez les huîtres (voir p. 8), jetez la première eau et recueillez dans un saladier celle qui se reforme aussitôt. Décoquillez-les en sectionnant le muscle. Filtrez l'eau rendue à l'aide d'une passoire fine. Réservez-la, ainsi que les huîtres décoquillées.

2 Préparez un bain-marie : remplissez d'eau une grande casserole et portez-la à ébullition. Dans une petite casserole, faites fondre 30 g de beurre et faites-y revenir les échalotes, sans qu'elles se colorent. Ajoutez l'eau des huîtres et le muscadet, poivrez, portez à ébullition et faites réduire à petits bouillons jusqu'à évaporation d'une moitié du liquide (après environ 10 minutes).

3 Placez la petite casserole dans le bain-marie frémissant et incorporez 150 g de beurre par petits morceaux. Remuez sans cesse jusqu'à obtenir une préparation onctueuse. Ajoutez le jus de citron et mélangez délicatement.

4 Répartissez les huîtres, en comptant 6 huîtres par personne, dans quatre assiettes creuses bien chaudes, versez la sauce brûlante dessus et parsemez de ciboulette ciselée. Servez aussitôt.

🍷 *Muscadet de Sèvre-et-Maine sur lie*

Huîtres en vinaigrette d'artichaut

Privilégiez l'artichaut camus de Bretagne, de Saint-Pol-de-Léon ou de Paimpol, présent sur les marchés de mai à novembre. Découpez les fonds d'artichaut avant cuisson afin de ne pas perdre de chair en arrachant les feuilles.

POUR 4 PERSONNES

2 douzaines d'huîtres de Bretagne (n° 4)

4 gros artichauts camus de Bretagne

Jus de 3 citrons

POUR LA VINAIGRETTE

1 échalote finement hachée

1 assortiment de 3 herbes aromatiques fraîches finement ciselées : cerfeuil, ciboulette, persil plat

3 cuill. à soupe d'huile

1/2 cuill. à café de moutarde douce

1 cuill. à café de vinaigre balsamique

1 cuill. à soupe de vinaigre de vin rouge

Sel et poivre du moulin

1 Ouvrez les huîtres (voir p. 8) et décoquillez-les en sectionnant le muscle. Réservez-les. Cassez la queue des artichauts et recoupez-les à la base de façon à leur donner une assise bien plate. À l'aide d'un couteau de cuisine, retirez soigneusement les feuilles et le foin. Arrosez aussitôt les fonds avec le jus de 2 citrons afin qu'ils ne noircissent pas.

2 Remplissez d'eau une grande casserole, salez-la et portez-la à ébullition. Versez-y le jus du dernier citron et plongez-y les fonds d'artichaut. Faites-les cuire 15 à 20 minutes. Sortez-les à l'aide d'une écumoire, égouttez-les et laissez-les tiédir. Épongez-les délicatement dans du papier absorbant. À l'aide d'une petite cuillère, raclez sur chaque fond d'artichaut une mince pellicule de chair et réservez-la dans un bol.

3 Remplissez d'eau une casserole de taille moyenne et chauffez-la jusqu'à ce que l'eau frémisse. Disposez les fonds d'artichaut dans un plat de service et déposez 6 huîtres sur chacun. Posez le plat sur la casserole d'eau frémissante pour que les fonds d'artichaut restent chauds.

4 Ajoutez l'échalote, la moutarde et les herbes ciselées dans le bol contenant la chair d'artichaut. Salez très légèrement et poivrez. Incorporez les deux vinaigres et remuez vivement à l'aide d'une cuillère en bois jusqu'à ce que le sel soit bien dissous. Versez l'huile en filet et continuez de remuer pour obtenir une sauce émulsionnée. Versez cette vinaigrette dans une petite casserole et faites-la tiédir à feu doux. Arrosez-en les fonds d'artichaut garnis d'huîtres et servez aussitôt.

🍷 *Chinon rouge*

Huîtres en chaussons de galette de blé noir

POUR 4 PERSONNES

2 douzaines d'huîtres de Bretagne (n° 3)

2 fines tranches de jambon cru de pays détaillées en lanières

4 galettes de blé noir

1 aubergine pelée coupée en dés

3 courgettes coupées en dés

1 poivron rouge coupé en dés

2 tomates

1 oignon finement haché

2 gousses d'ail finement hachées (sans le germe)

1 feuille de laurier

1 brindille de thym

100 g de beurre

Poivre du moulin

Au XVe siècle, la duchesse Anne généralise dans l'ensemble du duché de Bretagne la culture du blé noir, également appelé sarrasin en souvenir des croisades. La galette de blé noir se prête à de nombreuses garnitures salées. Pour cette recette, servez-les bien cuites – « kraz », en breton, c'est-à-dire croustillantes.

1 Ouvrez les huîtres (voir p. 8), jetez la première eau et recueillez dans un saladier celle qui se reforme aussitôt. Décoquillez-les en sectionnant le muscle. Filtrez l'eau rendue à l'aide d'une passoire fine. Réservez-la, ainsi que les huîtres décoquillées.

2 Retirez le pédoncule des tomates. Remplissez d'eau une casserole et portez-la à ébullition. Plongez-y quelques secondes les tomates placées sur une écumoire et rincez-les aussitôt à l'eau froide. Retirez la peau en la soulevant délicatement à l'aide de la pointe d'un couteau de cuisine. Coupez la chair en petits dés et ôtez les pépins.

3 Faites fondre 50 g de beurre dans une sauteuse et faites-y revenir l'oignon et l'ail jusqu'à ce qu'ils soient transparents. Ajoutez l'eau des huîtres et mélangez. Versez les légumes en dés, le thym et le laurier, et poivrez. Faites cuire à feu doux environ 20 minutes en remuant de temps en temps. À mi-cuisson, ajoutez les lanières de jambon.

4 Hors du feu, retirez le thym et le laurier de la sauteuse contenant les légumes et incorporez-y 30 g de beurre. Ajoutez-y délicatement les huîtres décoquillées et laissez reposer à couvert 10 minutes.

5 Faites fondre 20 g de beurre dans une poêle antiadhésive et faites-y rissoler les galettes jusqu'à ce qu'elles soient croustillantes. Disposez-les dans quatre assiettes bien chaudes et répartissez la compote de légumes aux huîtres sur chaque moitié. Repliez l'autre moitié de galette par-dessus de façon à former un chausson. Servez aussitôt.

Bourgueil

Tartare d'huîtres

2 douzaines d'huîtres
de Bretagne (n° 2)

250 g de filet de
mulet (sans la peau)

500 g de pourpier (ou
à défaut de mesclun)

1 cuill. à soupe
de jus de citron

1 échalote finement
hachée

1 cuill. à soupe
de ciboulette ciselée

1/2 cuill. à soupe
d'huile d'olive

1 baguette de pain

Sel et poivre
du moulin

Pour réussir un tartare de poisson et de fruits de mer, veillez à ce que les ingrédients soient d'une grande fraîcheur. Coupez le poisson en tout petits dés d'égale grosseur et renoncez au mixer, qui provoquerait l'écoulement du jus.

1 Ouvrez les huîtres (voir p. 8) et décoquillez-les en sectionnant le muscle. Épongez-les délicatement dans du papier absorbant et réservez-les. Rincez le filet de mulet à l'eau froide et séchez-le de la même façon. Si nécessaire, éliminez les arêtes à l'aide d'une pince à épiler. Placez au réfrigérateur les huîtres, le poisson et quatre assiettes. Rincez le pourpier et ôtez une partie des tiges. Épongez-le dans un torchon et réservez-le.

2 Versez le jus de citron et l'huile d'olive dans un bol. Ajoutez l'échalote, la ciboulette ciselée, salez très légèrement et poivrez. Remuez vivement à l'aide d'une cuillère en bois pour obtenir une sauce émulsionnée.

3 Sortez le filet de mulet du réfrigérateur et posez-le sur une planche parfaitement propre. Coupez-le en tout petits dés à l'aide d'un couteau de cuisine bien aiguisé. Opérez de la même façon avec les huîtres. Versez la chair de mulet et d'huître dans un saladier, arrosez avec la sauce à l'huile d'olive et au citron, et mélangez le tout délicatement. Goûtez et rectifiez l'assaisonnement. Placez le saladier au réfrigérateur au moins 1 heure.

4 Répartissez harmonieusement le tartare d'huîtres dans les assiettes froides et décorez en arrangeant le pourpier tout autour. Servez aussitôt avec des rondelles de baguette grillées.

Préparez ce tartare d'huîtres à l'avance de façon à le laisser raffermir au réfrigérateur, il n'en sera que meilleur. En saison (de mai à septembre), vous pouvez utiliser du thon germon à la place du mulet.

🍷 *Gros-plant ou Muscadet*

Pays de la Loire

Huîtres de la baie de Bourgneuf à la flamme d'aiguilles de pin

Ramassez des aiguilles bien sèches, qui flambent facilement. Prévoyez-en une quantité suffisante pour recouvrir complètement les huîtres, qui se dégustent nature afin de préserver le parfum du pin maritime.

POUR 4 PERSONNES

16 grosses huîtres Vendée Atlantique (n° 2)

Quelques poignées d'aiguilles de pin

1 Préparez le barbecue suffisamment à l'avance pour avoir de bonnes braises. Installez l'appareil dans un endroit parfaitement dégagé, en tenant compte du sens du vent. Tenez les enfants éloignés et n'utilisez jamais d'alcool à brûler ou un autre liquide inflammable pour démarrer le feu. Surveillez constamment les braises et la cuisson, et éteignez les cendres en les arrosant si nécessaire.

2 Étalez dans une poêle à marrons la moitié des aiguilles de pin. Déposez les huîtres par-dessus et recouvrez-les avec le reste des aiguilles. Posez la poêle sur la grille du barbecue et chauffez jusqu'à ce que les coquilles s'entrouvrent.

3 Apportez la poêle sur la table et servez aussitôt.

🍷 *Gros-plant sur lie*

Gratinée d'huîtres aux champignons et beurre d'escargot

Le beurre d'escargot, constitué de beurre en pommade et d'aromates, est utilisé pour préparer des moules farcies et, bien sûr, les escargots. Quelques gouttes de pastis parfument délicatement cette gratinée.

1 Sortez le beurre du réfrigérateur au moins 30 minutes à l'avance. Travaillez-le dans un bol à la fourchette pour le réduire en pommade. Ouvrez les huîtres (voir p. 8) et décoquillez-les en sectionnant le muscle. Épongez-les délicatement dans du papier absorbant et réservez-les.

2 Préchauffez le four à 180 °C (th. 6). Remplissez d'eau une petite casserole, portez-la à ébullition et plongez-y les gousses d'ail quelques secondes. Sortez-les de l'eau, épongez-les dans du papier absorbant et écrasez-les à la fourchette pour obtenir une purée. Mélangez dans un bol les échalotes hachées, l'ail écrasé et le persil ciselé. Ajoutez cette préparation au beurre ramolli et mélangez à nouveau. Salez légèrement, poivrez et ajoutez le pastis.

3 Nettoyez les champignons avec soin et coupez chaque pied au ras du chapeau. Arrosez-les aussitôt avec le jus de citron pour qu'ils ne noircissent pas. Prélevez à l'aide d'une cuillère à café une partie des lamelles noires de chaque champignon (environ un quart) et réservez-les. Faites fondre le beurre dans une poêle, saisissez-y les champignons, côté bombé en dessous, à feu doux et à couvert pendant 5 minutes. Ajoutez les lamelles réservées et remuez délicatement. Retirez du feu, goûtez et rectifiez l'assaisonnement.

4 Disposez les champignons, côté bombé en dessous, dans un plat allant au four. Déposez 3 huîtres à l'intérieur de chaque champignon, recouvrez d'une mince couche de beurre d'escargot et saupoudrez d'une pincée de chapelure. Enfournez et faites cuire 10 minutes. Décorez avec la mâche et servez aussitôt.

🍷 *Menetou-Salon rouge*

POUR 4 PERSONNES

3 douzaines d'huîtres Vendée Atlantique (n° 4)

12 gros champignons de Paris

100 g de mâche nantaise épluchée

Jus de 1 citron

1 cuill. à soupe de chapelure

POUR 100 G ENVIRON DE BEURRE D'ESCARGOT

3 échalotes finement hachées

2 gousses d'ail pelées (sans le germe)

1 cuill. à soupe de persil plat ciselé

50 g de beurre

2 cl de pastis

Sel et poivre du moulin

Huîtres à la gelée d'eau de mer sur feuilles de bette

On utilise distinctement les feuilles vertes des bettes, ou blettes, qui se cuisinent comme les épinards et leurs côtes blanches, ou cardes, qui se préparent en gratin.

POUR 4 PERSONNES

2 douzaines d'huîtres Vendée Atlantique (n° 3)

15 cl de fumet de moules (voir p. 9)

500 g de bettes

2 feuilles de gélatine

1 cuill. à soupe de vin blanc sec

Sel et poivre du moulin

1 Ouvrez les huîtres (voir p. 8), jetez la première eau et recueillez dans un saladier celle qui se reforme aussitôt. Décoquillez-les en sectionnant le muscle. Filtrez l'eau rendue à l'aide d'une passoire fine. Réservez-la, ainsi que les huîtres décoquillées et les coquilles inférieures.

2 Faites tremper les feuilles de gélatine 10 minutes dans l'eau froide. Versez dans une casserole le fumet de moules, le vin blanc et l'eau des huîtres. Faites tiédir à feu doux. Ajoutez les feuilles de gélatine et faites-les fondre 5 minutes. Goûtez et rectifiez l'assaisonnement. Retirez du feu et laissez refroidir environ 10 minutes, avant la prise en gelée. Placez la casserole au congélateur ou au freezer pendant au moins 3 heures.

3 Ôtez les côtes blanches des bettes, et ne gardez que les feuilles. Rincez-les et égouttez-les. Remplissez d'eau une grande casserole, salez-la et portez-la à ébullition. Plongez-y les feuilles de bette et faites-les blanchir quelques minutes. Rincez-les à l'eau froide et épongez-les dans un torchon. Disposez les coquilles vides dans un plat, tapissez chacune d'une partie de feuille de bette et déposez-y une huître. Mettez le plat dans le bas du réfrigérateur.

4 Démoulez la préparation prise en gelée et détaillez-la en tout petits cubes. Répartissez-les sur chaque huître et servez aussitôt.

🍷 *Pouilly fumé*

La salicorne, « corne à sel » ou « haricot de mer », est une plante terrestre au goût salé et légèrement piquant, qui pousse à proximité des marais salants. On trouve de la salicorne fraîche chez les poissonniers de mai à septembre ou en conserve, macérée dans du vinaigre aromatisé.

POUR 4 PERSONNES

2 douzaines d'huîtres Vendée Atlantique (n° 4)

500 g de salicorne fraîche

Sel et poivre du moulin

POUR LA VINAIGRETTE

4 cuill. à soupe d'huile

1 cuill. à café de moutarde de Dijon

2 cuill. à soupe de vinaigre de vin rouge

Sel et poivre du moulin

Salade de spéciales à la salicorne de Noirmoutier

1 Ouvrez les huîtres (voir p. 8) et décoquillez-les en sectionnant le muscle. Épongez-les délicatement dans du papier absorbant et réservez-les.

2 Rincez la salicorne à l'eau froide, coupez les tiges dures et gardez les extrémités tendres. Remplissez d'eau une casserole, salez-la et portez-la à ébullition. Plongez-y la salicorne et faites-la blanchir quelques minutes. Rincez-la à l'eau froide et épongez-la dans un torchon.

3 Versez la moutarde dans un bol, salez très légèrement et poivrez. Ajoutez le vinaigre et remuez vivement à l'aide d'une cuillère en bois jusqu'à ce que le sel soit bien dissous. Versez ensuite l'huile en filet en continuant de remuer pour obtenir une sauce émulsionnée. Versez la vinaigrette dans une casserole et faites-la tiédir à feu doux.

4 Répartissez la salicorne dans quatre assiettes creuses bien chaudes, déposez sur chacune 6 huîtres décoquillées et arrosez de vinaigrette tiède. Servez aussitôt.

Variante : Remplissez d'eau une casserole, portez-la à ébullition, plongez-y 2 œufs et faites-les cuire 10 minutes. Rafraîchissez-les à l'eau froide et écalez-les. Passez-les dans un petit moulin à légumes afin de les réduire en miettes. Parsemez chaque assiette de ces œufs mimosa.

🍷 *Sancerre rouge*

Cassolettes d'huîtres à la crème de curry

La poudre de curry est un mélange d'épices doux, fort ou très fort, selon sa provenance, auquel le curcuma donne sa belle couleur jaune. Sel et poivre sont superflus dans cette recette.

POUR 4 PERSONNES

2 douzaines d'huîtres Vendée Atlantique (spéciales n° 3)

50 cl de fumet de moules (voir p. 9)

1 tomate

1 pomme granny smith coupée en petits dés

1 échalote finement hachée

50 g de beurre

POUR LA CRÈME

Jus de 1/2 citron

2 jaunes d'œufs

10 cl de crème fraîche

1 cuill. à soupe de curry

1 Ouvrez les huîtres (voir p. 8), jetez la première eau et recueillez dans un saladier celle qui se reforme aussitôt. Décoquillez-les en sectionnant le muscle et épongez-les délicatement dans du papier absorbant. Filtrez l'eau rendue à l'aide d'une passoire fine. Réservez-la, ainsi que les huîtres décoquillées.

2 Retirez le pédoncule de la tomate. Remplissez d'eau une petite casserole et portez-la à ébullition. Plongez-y quelques secondes la tomate placée sur une écumoire et rincez-la aussitôt à l'eau froide. Retirez la peau en la soulevant délicatement à l'aide de la pointe d'un couteau de cuisine. Coupez la chair en petits dés et ôtez les pépins.

3 Faites fondre 20 g de beurre dans une casserole et faites-y revenir l'échalote, avec les dés de pomme et de tomate, environ 3 minutes, jusqu'à ce que l'échalote soit transparente. Ajoutez le fumet de moules et l'eau des huîtres, portez à ébullition et faites cuire 5 ou 6 minutes. Mixez la préparation et réservez-la.

4 Versez les jaunes d'œufs, la crème et le jus de citron dans un saladier. Ajoutez le curry et remuez vivement à l'aide d'un fouet. Versez ce mélange, ainsi que la préparation mixée, dans une casserole, chauffez à feu doux et remuez jusqu'à ce que la sauce soit brûlante. Ajoutez 30 g de beurre par petits morceaux et mélangez bien pour obtenir une consistance onctueuse.

5 Répartissez les huîtres décoquillées, en comptant 6 huîtres par personne, dans quatre assiettes creuses bien chaudes et recouvrez de crème au curry. Servez aussitôt.

🍷 *Chinon rouge ou bière blonde légère*

Poitou-Charentes

Huîtres au diable de Ré

Le diable est un récipient en terre semblable à une petite cocotte ronde et muni d'un manche. La cuisson se fait sans matières grasses, à l'étouffée, au four ou sur des braises, et la porosité du matériau retient l'eau des aliments, qui gardent ainsi leur moelleux.

POUR 4 PERSONNES

2 douzaines d'huîtres de l'île de Ré (n° 3)

1 kg de pommes de terre de l'île de Ré

2 échalotes grises non épluchées

4 gousses d'ail non épluchées

1 feuille de laurier

1 brindille de thym

50 g de beurre

Fleur de sel de l'île de Ré et poivre du moulin

1 Sortez le beurre du réfrigérateur. Ouvrez les huîtres (voir p. 8), jetez la première eau et recueillez dans un saladier celle qui se reforme aussitôt. Décoquillez-les en sectionnant le muscle. Filtrez l'eau rendue à l'aide d'une passoire fine afin d'en garder 2 cuillerées à soupe. Réservez-les, ainsi que les huîtres décoquillées.

2 Préchauffez le four à 210 °C (th. 7). Rincez les pommes de terre et épongez-les dans du papier absorbant. Placez-les dans le diable, avec l'eau des huîtres réservée. Parsemez dessus une pincée de fleur de sel et ajoutez les gousses d'ail, les échalotes, le laurier et le thym. Enfournez le diable et faites cuire les pommes de terre environ 20 minutes, selon leur grosseur. Travaillez le beurre dans un bol, à la fourchette, pour le ramollir et le réduire en pommade.

3 Sortez les gousses d'ail et les échalotes du diable, et pelez-les. Ôtez le germe des gousses d'ail. Écrasez-les à la fourchette pour obtenir une purée et incorporez-la au beurre en pommade. Poivrez et mélangez bien.

4 Répartissez les huîtres décoquillées dans le diable, sur les pommes de terre. Étalez par-dessus le beurre aromatisé, refermez le diable et remettez-le 5 minutes dans le four encore chaud. Servez aussitôt.

🍷 *Vin blanc de pays de l'île de Ré (Le Royal)*

Huîtres au sabayon
au vin de pays charentais

POUR 4 PERSONNES

2 douzaines
d'huîtres des îles
(spéciales n° 3)

1 kg de gros sel

**POUR ENVIRON
20 CL DE SABAYON**

20 cl de fumet de
moules (voir p. 9)

1 cuill. à café
de jus de citron

3 jaunes d'œufs

15 cl de vin blanc
de pays charentais

Sel et poivre
du moulin

Le sabayon est un entremets d'origine italienne, mais c'est aussi une sauce chaude émulsionnée qui accompagne poissons et fruits de mer. Le fumet de moules rehausse le goût délicat du sabayon.

1 Dans une casserole de taille moyenne, versez le vin et le fumet de moules. Portez à ébullition et faites réduire à petits bouillons jusqu'à évaporation des trois quarts du liquide (après environ 10 minutes). Laissez refroidir.

2 Préparez un bain-marie : remplissez d'eau une grande casserole et portez-la à ébullition. Placez la casserole contenant le liquide réduit dans le bain-marie frémissant et maintenez l'ébullition. Ajoutez les jaunes d'œufs et remuez vivement à l'aide d'un fouet jusqu'à ce que le mélange blanchisse légèrement. Versez le jus de citron, salez, poivrez et fouettez à nouveau. Maintenez le sabayon au chaud dans le bain-marie.

3 Préchauffez le four à 250 °C (th. 8-9). Étalez une couche épaisse de gros sel dans un plat allant au four et calez-y les huîtres, face plate au-dessus. Enfournez et sortez le plat dès que les coquilles s'entrouvrent.

4 Sectionnez le muscle de chaque huître et retirez la partie supérieure de la coquille. Jetez l'eau des huîtres sur le gros sel et versez dans chaque coquille 1 ou 2 cuillerées à café de sabayon. Remettez quelques instants le plat dans le four encore chaud, porte entrouverte, puis servez aussitôt.

🍷 *Vin blanc de pays charentais*

Huîtres frémies
à la laitue de mer

La laitue de mer, ou ulve, est une algue dont les feuilles, vertes, ressemblent à celles d'une laitue. Vous pouvez la ramasser au printemps et en automne sur le littoral, à marée descendante, la trouver fraîche chez le poissonnier, ou en saumure, ou encore séchée.

1 Ouvrez les huîtres (voir p. 8), jetez la première eau et recueillez dans un saladier celle qui se reforme aussitôt. Décoquillez-les en sectionnant le muscle et épongez-les délicatement dans du papier absorbant. Filtrez l'eau rendue à l'aide d'une passoire fine. Réservez-la, ainsi que les huîtres décoquillées.

2 Rincez la laitue de mer et égouttez-la. Remplissez d'eau une casserole, portez-la à ébullition, plongez-y la laitue de mer et faites-la cuire 15 minutes. Rincez-la à l'eau froide, égouttez-la et hachez-la finement.

3 Préchauffez le gril du four. Répartissez les huîtres, en comptant 6 huîtres par personne, en rosace dans quatre assiettes creuses bien chaudes. Poivrez légèrement. Versez l'eau des huîtres et le fumet de moules dans une casserole. Portez à ébullition et faites réduire à petits bouillons jusqu'à évaporation d'un quart du liquide (après environ 5 minutes). Baissez le feu et incorporez le beurre par petits morceaux. Remuez jusqu'à obtenir une sauce onctueuse. Ajoutez la laitue de mer hachée et mélangez délicatement. Versez la sauce sur les assiettes creuses, à hauteur des huîtres, afin de juste les recouvrir.

4 Glissez les assiettes sous le gril du four, à 15 cm environ, pendant 3 minutes. Servez aussitôt.

🍷 *Meursault blanc ou Chablis*

POUR 4 PERSONNES

2 douzaines d'huîtres Marennes-Oléron (spéciales n° 2)

50 cl de fumet de moules (voir p. 9)

100 g de laitue de mer (fraîche, de préférence)

80 g de beurre

Sel et poivre du moulin

Soupe d'huîtres du Port-des-Barques

Pour réussir cette recette, il faut absolument « verser le chaud dans le froid ». Le fumet de moules bouillant est versé sur la liaison à base de jaunes d'œufs, afin d'obtenir une préparation onctueuse. Les huîtres entières ajoutées à la fin sont juste saisies dans la soupe brûlante.

POUR 4 PERSONNES

2 douzaines d'huîtres Marennes-Oléron (spéciales n° 3)

50 cl de fumet de moules (voir p. 9)

Jus de 1/2 citron

1 échalote finement hachée

2 jaunes d'œufs

50 g de beurre

10 cl de crème fraîche

1 pincée de farine

Quelques tranches de pain de mie

Sel et poivre du moulin

1 Ouvrez les huîtres (voir p. 8), jetez la première eau et recueillez dans un saladier celle qui se reforme aussitôt. Décoquillez-les en sectionnant le muscle et épongez-les délicatement dans du papier absorbant. Filtrez l'eau rendue à l'aide d'une passoire fine. Réservez-la, ainsi que les huîtres décoquillées.

2 Faites fondre 20 g de beurre dans une casserole et faites-y revenir l'échalote environ 3 minutes, jusqu'à ce qu'elle soit transparente. Ajoutez une pincée de farine et remuez. Versez immédiatement le fumet de moules et l'eau des huîtres. Portez à ébullition et faites cuire à feu moyen 5 ou 6 minutes pour obtenir une consistance bien onctueuse.

3 Hachez 8 huîtres au mixer ou, à défaut, coupez-les très finement à l'aide d'un couteau de cuisine bien aiguisé. Versez la chair d'huîtres mixée dans la casserole contenant la préparation chaude, portez à ébullition et poursuivez la cuisson à feu doux quelques instants.

4 Préchauffez le gril du four. Versez la crème, les jaunes d'œufs et le jus de citron dans un saladier et mélangez vivement à l'aide d'un fouet. Ajoutez la préparation chaude et remuez à nouveau. Versez le mélange dans une casserole et remettez sur le feu. Faites cuire à feu très doux sans atteindre l'ébullition, jusqu'à ce que le mélange ait la consistance d'une soupe. Goûtez et rectifiez l'assaisonnement. Passez la soupe à travers une passoire fine, reversez-la dans la casserole et maintenez-la au chaud à feu très doux.

5 Ôtez la croûte des tranches de pain de mie, détaillez-les en tout petits carrés et placez-les sur la plaque du four, sous le gril. Retournez-les afin d'obtenir des petits croûtons bien croustillants. Versez la soupe d'huîtres brûlante dans quatre assiettes creuses bien chaudes et ajoutez 4 huîtres décoquillées sur chacune. Servez aussitôt avec les croûtons présentés dans une coupelle.

🍷 *Sauvignon du Haut-Poitou*

Nage d'huîtres d'Oléron (photo)

POUR 4 PERSONNES

2 douzaines
d'huîtres de l'île
d'Oléron (spéciales
n° 2)

50 cl de fumet de
moules (voir p. 9)

1 carotte coupée en
rondelles

1 petite tige de
céleri-branche
coupée en rondelles

1 blanc de poireau
coupé en rondelles

1 oignon coupé en
rondelles

2 cuill. à soupe de
pluches de cerfeuil

100 g de beurre

Sel et poivre du
moulin

La nage est ici constituée d'un fumet de moules
allongé avec l'eau des huîtres, et réduit afin
de concentrer parfums et saveurs. Additionnée
de beurre, elle constitue une sauce délicieuse
dans laquelle les huîtres sont simplement saisies
afin de préserver le goût et la texture de leur chair.

1 Ouvrez les huîtres (voir p. 8), jetez la première eau et recueillez
dans un saladier celle qui se reforme aussitôt. Décoquillez-les en
sectionnant le muscle. Filtrez l'eau rendue à l'aide d'une passoire
fine. Réservez-la, ainsi que les huîtres décoquillées.

2 Versez le fumet de moules et l'eau des huîtres dans une casserole,
et portez à ébullition. Ajoutez l'oignon, le poireau, la carotte et le
céleri, et faites cuire à feu doux 10 minutes. Incorporez le beurre par
petits morceaux et remuez pour obtenir une nage onctueuse. Goûtez
et rectifiez l'assaisonnement.

3 Répartissez les huîtres, en comptant 6 huîtres par personne,
dans quatre assiettes creuses bien chaudes et recouvrez de nage
bouillante. Décorez avec les pluches de cerfeuil et servez aussitôt.

🍷 *Menetou-Salon blanc*

Huîtres sauvages de l'île Madame ouvertes au four

Située en face de l'estuaire de la Charente, et accessible seulement à marée basse, l'île Madame offre une côte rocheuse étendue favorable à la pêche à pied. Celle-ci, bien que réglementée, permet de ramasser coques, palourdes et autres coquillages, ainsi que des huîtres sauvages.

POUR 4 PERSONNES

2 douzaines d'huîtres sauvages (ou à défaut de fines de claire n° 3)

Beurre demi-sel

Pain de campagne

1 kg de gros sel

1 Préchauffez le four à 250 °C (th. 8-9). Étalez une couche épaisse de gros sel dans un plat allant au four et calez-y les huîtres, face plate au-dessus. Enfournez le plat et sortez-le dès que les coquilles s'entrouvrent.

2 Sectionnez le muscle de chaque huître et retirez la partie supérieure de la coquille. Présentez le plat sur la table et accompagnez ces huîtres sauvages, tièdes et juste raidies, de tranches de pain de campagne grillé et de beurre demi-sel.

🍷 *Chardonnay du Haut-Poitou*

Arcachon/Aquitaine

Huîtres au salpicon de cèpes et de foie gras

POUR 4 PERSONNES

**2 douzaines
d'huîtres
d'Arcachon (n° 3)**

**200 g de foie gras
de canard
du Sud-Ouest**

**700 g
de cèpes frais**

**1 échalote
finement hachée**

**1 bouquet de
ciboulette ciselée**

30 g de beurre

1 kg de gros sel

**Sel et poivre
du moulin**

Ce salpicon, composé d'ingrédients coupés en petits dés, met en vedette deux produits régionaux : le cèpe de Bordeaux (le plus recherché des bolets), cueilli dans les bois en juin et de septembre à décembre, et le foie gras, qui pour cette recette doit être cru ou mi-cuit.

1 Ouvrez les huîtres (voir p. 8) et décoquillez-les en sectionnant le muscle. Épongez-les délicatement dans du papier absorbant. Réservez-les, ainsi que les coquilles inférieures.

2 Coupez le pied terreux des cèpes et nettoyez-les délicatement à l'aide d'un pinceau. Détaillez-les en dés. Coupez le foie gras en dés de même grosseur.

3 Préchauffez le gril du four. Faites fondre le beurre dans une sauteuse et faites-y revenir à feu moyen l'échalote et les dés de cèpes. Remuez très délicatement avec une cuillère en bois 3 minutes. Ajoutez les dés de foie gras et poursuivez la cuisson 3 ou 4 minutes, jusqu'à ce que le foie gras commence à fondre. Salez légèrement et poivrez.

4 Étalez une épaisse couche de gros sel dans un plat allant au four. Calez-y les coquilles vides, déposez une huître dans chaque coquille et remplissez chacune de salpicon de cèpes et de foie gras. Glissez le plat sous le gril du four, à 15 cm environ, et faites raidir les huîtres 3 minutes. Parsemez de ciboulette ciselée. Servez aussitôt avec des pommes de terre au four, par exemple.

🍷 *Pessac-Léognan blanc ou rouge*

La truffe du Périgord, ou truffe noire, est couverte de petites protubérances qui lui valent le surnom de « diamant noir ». Vous pouvez acheter des truffes fraîches de décembre à février ou, en bocaux, tout au long de l'année. Ces joyaux sont extrêmement fragiles et leur parfum, très volatil.

POUR 4 PERSONNES

2 douzaines d'huîtres d'Arcachon (n° 3)

600 g de roquette bien fraîche

2 truffes noires du Périgord (80 g)

1 échalote finement hachée

60 g de beurre

Sel et poivre du moulin

Huîtres à l'embeurrée de verdure et julienne de truffe

1 Ouvrez les huîtres (voir p. 8) et décoquillez-les en sectionnant le muscle. Épongez-les délicatement dans du papier absorbant et réservez-les.

2 Rincez la roquette à l'eau fraîche, coupez les tiges si nécessaire et épongez-la dans un torchon. Brossez les truffes, humidifiez-les si nécessaire pour éliminer la terre sèche et épongez-les très délicatement dans du papier absorbant. Coupez-les en lamelles, puis taillez ces lamelles en fins bâtonnets.

3 Faites fondre le beurre dans une sauteuse et faites-y revenir l'échalote environ 3 minutes, jusqu'à ce qu'elle soit transparente. Ajoutez la roquette et faites-la fondre à feu moyen 10 minutes en remuant délicatement. Lorsque les feuilles sont bien imprégnées de beurre, ajoutez les trois quarts des bâtonnets de truffe et les huîtres décoquillées. Poursuivez la cuisson 1 minute. Salez très légèrement et poivrez.

4 Répartissez cette préparation, en comptant 6 huîtres par personne, dans quatre assiettes creuses bien chaudes et parsemez du reste de julienne de truffe. Servez aussitôt.

🍷 *Saint-Émilion rouge*

Huîtres en gelée à la crème de caviar d'Aquitaine

Si le caviar provenant des esturgeons sauvages de l'estuaire de la Gironde a quasiment disparu, l'élevage d'esturgeons de souche sibérienne se développe en Aquitaine, dans de grands bassins d'eau douce. Le goût subtil de ce caviar se marie à merveille avec celui des huîtres.

POUR 4 PERSONNES

2 douzaines d'huîtres d'Arcachon (n° 4)

50 cl de fumet de moules (voir p. 9)

80 ou 100 g de caviar d'Aquitaine (ou à défaut de caviar Sevruga)

1 cuill. à café de jus de citron

2 jaunes d'œufs

10 cl de crème fraîche

2 feuilles de gélatine

Poivre blanc du moulin

1 Ouvrez les huîtres (voir p. 8), jetez la première eau et recueillez dans un saladier celle qui se reforme aussitôt. Décoquillez-les en sectionnant le muscle et épongez-les délicatement dans du papier absorbant. Filtrez l'eau rendue à l'aide d'une passoire fine. Réservez-la, ainsi que les huîtres décoquillées. Faites tremper les feuilles de gélatine dans l'eau froide 10 minutes.

2 Versez la crème, les jaunes d'œufs et le jus de citron dans un saladier, et remuez vivement le mélange à l'aide d'un fouet. Versez le fumet de moules et l'eau des huîtres dans une casserole, et portez à ébullition. Incorporez ce liquide chaud à la préparation aux œufs, ajoutez les feuilles de gélatine et mélangez. Mettez le mélange dans une casserole et portez à ébullition. Retirez immédiatement du feu.

3 Lorsque la préparation commence à tiédir, ajoutez les huîtres décoquillées. Laissez refroidir complètement. Réservez une cuillerée à soupe de caviar pour le décor, ajoutez le reste au mélange refroidi et remuez très délicatement. Répartissez la préparation, en comptant 6 huîtres par personne, dans quatre beaux verres à pied et entreposez-les au réfrigérateur au moins 1 heure afin de faire prendre la gelée.

4 Avant de servir, poivrez et décorez de quelques grains de caviar. Déposez chaque verre sur une soucoupe ou une petite assiette et servez aussitôt.

🍷 *Crémant de Bordeaux ou Entre-Deux-Mers*

La préparation employée ici est une variante de la célèbre sauce au vin rouge. Lorsqu'elle accompagne du poisson ou des fruits de mer, elle est plus souvent confectionnée avec du vin blanc.

Huîtres en feuilles d'épinard à la bordelaise

1 Ouvrez les huîtres (voir p. 8), jetez la première eau et recueillez dans un saladier celle qui se reforme aussitôt. Décoquillez-les en sectionnant le muscle et épongez-les délicatement dans du papier absorbant. Filtrez l'eau rendue à l'aide d'une passoire fine. Réservez-la, ainsi que les huîtres décoquillées. Triez les feuilles d'épinard pour ne conserver que les plus belles feuilles, et retirez les tiges et les grosses nervures. Vous devez obtenir au moins 24 feuilles. Rincez-les et égouttez-les.

2 Remplissez d'eau une grande casserole, salez-la et portez-la à ébullition. Plongez-y les feuilles d'épinard et faites-les blanchir quelques minutes. Rincez-les à l'eau froide et épongez-les dans un torchon.

3 Versez le vin et l'eau des huîtres dans une casserole. Portez à ébullition et faites réduire à petits bouillons jusqu'à évaporation des trois quarts du liquide (après environ 20 minutes). Ajoutez les huîtres décoquillées et laissez-les cuire 2 minutes afin de les raidir. Remplissez d'eau une casserole de taille moyenne et chauffez-la jusqu'à ce que l'eau frémisse. Sortez les huîtres à l'aide d'une écumoire, égouttez-les et épongez-les délicatement dans du papier absorbant. Placez-les sur une assiette posée sur la casserole d'eau frémissante, pour qu'elles restent chaudes. Réservez la casserole contenant le liquide de cuisson.

4 Enveloppez chaque huître dans une feuille d'épinard et formez un petit rouleau. Maintenez-le fermé avec une petite pique en bois. Préparez 6 rouleaux par personne. Gardez-les au chaud en les replaçant sur l'assiette posée sur la casserole d'eau chaude. Réchauffez la casserole contenant le liquide de cuisson à feu très doux et incorporez-y le beurre par petits morceaux. Remuez jusqu'à obtenir une sauce onctueuse. Goûtez et rectifiez l'assaisonnement.

5 Versez la sauce au beurre brûlante dans quatre assiettes creuses bien chaudes et répartissez-y très délicatement les rouleaux d'épinard. Parsemez de ciboulette ciselée et servez aussitôt.

🍷 *Château La-Tour-de-By ou Château Potensac*

POUR 4 PERSONNES

2 douzaines d'huîtres d'Arcachon (n° 2)

500 g d'épinards

2 cuill. à soupe de ciboulette ciselée

80 g de beurre

25 cl de Château La-Tour-de-By (ou à défaut de Château Potensac)

Sel et poivre du moulin

Cette recette rassemble plusieurs spécialités du Sud-Ouest. Le jambon de Bayonne, salé au sel gemme des salines du bassin de l'Adour, est séché et affiné de 7 à 12 mois. L'ail rose de Lautrec, non loin d'Albi, est récolté au début de l'été, puis séché. Le piment d'Espelette, au pays Basque, se présente séché, entier, en poudre ou en conserve.

POUR 4 PERSONNES

2 douzaines d'huîtres d'Arcachon (n° 2)

8 tranches fines de jambon de Bayonne

2 petites romaines

4 gousses d'ail rose de Lautrec émincées (sans le germe)

1 cuill. à soupe de persil plat ciselé

30 g de beurre

1 bocal de piments d'Espelette au vinaigre

Huîtres en brochettes sur demi-cœurs de romaine

1 Ouvrez les huîtres (voir p. 8) et décoquillez-les en sectionnant le muscle. Épongez-les délicatement dans du papier absorbant et réservez-les.

2 Éliminez les feuilles extérieures des romaines et coupez chaque salade par le milieu dans le sens de la longueur. Rincez-les et épongez-les dans un torchon. Ôtez le gras des tranches de jambon et coupez-les en trois dans le sens de la largeur. Égouttez les piments d'Espelette et coupez-les en lanières. Enveloppez chaque huître dans un morceau de jambon, de façon à former un petit rouleau. Vous devez obtenir 6 rouleaux par personne. Enfilez-les deux par deux sur des petites brochettes en bois.

3 Remplissez d'eau une casserole de taille moyenne et chauffez-la jusqu'à ce que l'eau frémisse. Faites fondre le beurre dans une grande poêle et faites-y revenir les brochettes à feu doux 1 minute de chaque côté. Sortez-les à l'aide d'une grande spatule et placez-les sur une assiette posée sur la casserole d'eau frémissante, pour qu'elles restent chaudes. Versez dans la poêle l'ail émincé et faites-le revenir dans le jus de cuisson des brochettes 1 ou 2 minutes, jusqu'à ce qu'il soit transparent. Ajoutez les lanières de piment en remuant afin qu'elles s'imprègnent de jus de cuisson.

4 Placez dans quatre assiettes bien chaudes 1 demi-cœur de romaine, la partie plate au-dessus, et déposez 4 brochettes sur chacune. Répartissez le jus de cuisson sur les brochettes, décorez de persil plat ciselé et servez aussitôt.

🍷 *Clairet de Bordeaux*

Méditerranée

Tartines à l'huître et à la tomate

POUR 4 PERSONNES

**2 douzaines
d'huîtres
de Bouzigues (n° 4)**

4 grosses tomates

**1 cuill. à soupe de
ciboulette ciselée**

15 cl d'huile d'olive

**1 gros pain
de campagne**

**Poivre du moulin
(noir ou blanc)**

Ces tartines se consomment à l'apéritif, l'été, et apportent une variante au traditionnel pain à la tomate, recette tout aussi simple que savoureuse de la cuisine catalane. Choisissez des tomates bien mûres et, surtout, une huile d'olive vierge extra.

1 Ouvrez les huîtres (voir p. 8) et décoquillez-les en sectionnant le muscle. Épongez-les délicatement dans du papier absorbant et hachez-les à l'aide d'un couteau de cuisine bien aiguisé.

2 Retirez le pédoncule des tomates. Remplissez d'eau une grande casserole et portez-la à ébullition. Plongez-y quelques secondes les tomates placées sur une écumoire et rincez-les aussitôt à l'eau froide. Retirez la peau en la soulevant délicatement à l'aide de la pointe d'un couteau de cuisine. Coupez les tomates en deux et ôtez les pépins. Réservez 4 moitiés de tomate. Coupez les 4 autres en dés, placez-les dans un saladier et mélangez-les très délicatement avec les huîtres hachées.

3 Coupez 4 tranches de pain et dorez-les au grille-pain, en les plaçant au fur et à mesure dans un torchon pour les garder chaudes. Frottez chaque tranche de pain grillé avec une moitié de tomate. Donnez quelques tours de moulin à poivre et étalez sur chaque tranche une part du mélange d'huîtres et de tomates.

4 Déposez une tartine dans chaque assiette et arrosez-la d'un filet d'huile d'olive. Parsemez dessus un peu de ciboulette ciselée et servez aussitôt.

🍷 *Picpoul de pinet blanc*

Gaspacho d'huîtres

POUR 4 PERSONNES

3 douzaines
d'huîtres
de Bouzigues (n° 3)

1 petite tige
de céleri-branche
émincée

1 concombre non
pelé taillé en fines
rondelles

1 poivron rouge
coupé en dés

1 poivron vert
coupé en dés

1 kg de tomates
bien mûres

Jus de 1 citron

4 gousses d'ail
finement hachées
(sans le germe)

1 oignon haché

2 cuill. à soupe
d'huile d'olive

4 cuill. à soupe
de mie de pain blanc

Sel et poivre
du moulin

Le gaspacho (*gazpacho* en espagnol) est un classique de la gastronomie andalouse. Cette soupe glacée se sert de préférence le soir en été, accompagnée de croûtons, de petits dés de tomate, de poivron, d'oignon, de lardons et d'œufs durs finement hachés. Le gaspacho d'huîtres se suffit à lui-même.

1 Ouvrez les huîtres (voir p. 8) et décoquillez-les en sectionnant le muscle. Épongez-les avec soin dans du papier absorbant. Hachez-en grossièrement la moitié à l'aide d'un couteau de cuisine bien aiguisé et réservez les douze autres entières.

2 Retirez le pédoncule des tomates. Remplissez d'eau une grande casserole et portez-la à ébullition. Plongez-y quelques secondes les tomates placées sur une écumoire et rincez-les aussitôt à l'eau froide. Retirez la peau en la soulevant délicatement à l'aide de la pointe d'un couteau de cuisine. Coupez la chair en dés et ôtez les pépins.

3 Mixez l'ail, l'oignon, les légumes et les huîtres hachées. Salez très légèrement et poivrez. Versez le jus de citron, l'huile d'olive et la mie de pain. Mixez à nouveau quelques secondes. Ajoutez les huîtres entières et remuez très délicatement. Goûtez et rectifiez l'assaisonnement. Répartissez la préparation, en comptant 6 huîtres par personne, dans quatre assiettes creuses et entreposez-les au réfrigérateur au moins 12 heures.

🍷 *Cassis blanc*

2 douzaines d'huîtres
de Bouzigues (n° 4)

POUR LE BOUILLON

3 têtes de poisson

2 carottes

1 bulbe de fenouil

1 blanc de poireau

3 ou 4 tomates

4 gousses d'ail pelées
et écrasées
(sans le germe)

1 oignon

1 bouquet garni en fagot
(1 feuille de laurier,
1 brindille de thym,
2 ou 3 brins de persil,
1 morceau de vert
de poireau, 1 petite tige
de céleri-branche)

15 cl d'huile d'olive

1 cuill. à café de pistils
de safran (5 à 10 g)

Sel et poivre du moulin

POUR LA SOUPE

4 courgettes coupées
en bâtonnets

2 pommes de terre
moyennes épluchées
et coupées en rondelles

1 brocoli en petits
bouquets (sans les tiges)

Soupe d'huîtres aux légumes safranés

Cette soupe évoque la fameuse bouillabaisse, mais, contrairement à cette dernière, les fruits de mer – ici, les huîtres – ne sont pas servis séparément mais saisis dans le bouillon de cuisson des légumes. Les aromates doivent être d'une grande fraîcheur. Préférez les pistils de fleur de safran, bien plus aromatiques que la poudre.

1 Faites tremper les têtes de poisson dans l'eau froide 10 à 15 minutes et rincez-les.

2 Chauffez l'huile dans une grande casserole et faites-y revenir l'ail, l'oignon et les légumes du bouillon rincés et entiers. Salez, poivrez, ajoutez les têtes de poisson, le bouquet garni et le safran. Versez de l'eau dans la casserole jusqu'à ce que les ingrédients soient recouverts, portez à ébullition et faites cuire à petits bouillons 20 minutes minimum. Passez le bouillon au chinois, pressez le mélange et laissez-le refroidir.

3 Ouvrez les huîtres (voir p. 8) et décoquillez-les en sectionnant le muscle. Épongez-les délicatement dans du papier absorbant et réservez-les.

4 Portez à nouveau le bouillon à ébullition. Versez-y les légumes de la soupe les uns après les autres en fonction de leur temps de cuisson : 10 à 15 minutes pour les pommes de terre, 5 minutes pour les courgettes et le brocoli. Goûtez et rectifiez l'assaisonnement. Sortez les légumes à l'aide d'une écumoire et égouttez-les. Maintenez le bouillon à feu très doux.

5 Répartissez les huîtres décoquillées, en comptant 6 huîtres par personne, dans quatre assiettes creuses bien chaudes et ajoutez les légumes. Recouvrez avec le bouillon de cuisson des légumes brûlant. Servez aussitôt.

Accompagnez cette soupe de petits croûtons frottés à l'ail. Pour la déguster froide, préparez-la sans pommes de terre.

🍷 *Bandol rouge*

Tempura d'huîtres en coque de fenouil

La pâte à tempura, préparation traditionnelle japonaise, plus légère qu'une pâte à beignets ou qu'une panure, permet de confectionner de savoureuses fritures de poisson, de fruits de mer ou de légumes. Contrairement à la plupart des pâtes, elle ne doit pas nécessairement être préparée à l'avance.

POUR 4 PERSONNES

2 douzaines d'huîtres de Bouzigues (n° 2)

4 beaux cœurs de fenouil

1,5 l d'huile d'arachide pour la friture

Sel

Pour 400 g environ de pâte à tempura

2 œufs entiers

200 g de farine

3 ou 4 glaçons

15 cl d'eau glacée

1 Préparez des glaçons et placez de l'eau au réfrigérateur. Ouvrez les huîtres (voir p. 8) et décoquillez-les en sectionnant le muscle. Épongez-les délicatement dans du papier absorbant et réservez-les.

2 Remplissez d'eau une casserole, salez-la et portez-la à ébullition. Plongez-y les cœurs de fenouil et faites-les blanchir quelques minutes. Rincez-les à l'eau froide et égouttez-les. Épongez-les dans un torchon et réservez-les. Enlevez les petites feuilles centrales pour ne garder que 4 grandes belles feuilles.

3 Pilez les glaçons à l'aide d'un pic à glace. Versez la farine dans un saladier, creusez un puits au centre, cassez-y les œufs et mélangez à l'aide d'une cuillère en bois. Incorporez l'eau glacée petit à petit, tout en remuant pour obtenir une pâte épaisse. Ajoutez la glace pilée. Remuez jusqu'à ce que le mélange présente une consistance fluide.

4 Chauffez l'huile dans une bassine à friture (ou un wok) jusqu'à ce qu'une pincée de farine jetée dans l'huile y crépite, indiquant qu'elle a atteint la bonne température (180 °C). Trempez les huîtres dans la pâte, puis plongez-les par petites quantités à la fois dans l'huile de friture et laissez-les jusqu'à ce que la pâte boursoufle sans dorer. Sortez les huîtres à l'aide d'une araignée à friture ou d'une écumoire et épongez-les sur du papier absorbant.

5 Placez 1 feuille de fenouil sur chacune des quatre assiettes bien chaudes et disposez 6 huîtres frites dans chaque feuille. Servez aussitôt.

Servez cette tempura d'huîtres accompagnée d'un aïoli – mayonnaise à l'ail et à l'huile d'olive.

🍷 *Côtes-de-Provence rosé*

Index

Les numéros de pages indiqués en italique correspondent aux illustrations.